GAEL
Y LA RED DE MENTIRAS

difusión

Título: *Gael y la red de mentiras*
Texto e ilustraciones: Ernesto Rodríguez

Coordinación editorial y pedagógica: Emilia Conejo
Redacción: Emilia Conejo
Glosario y actividades: Ernesto Rodríguez
Concepto gráfico cubierta e interior: Oscar García Ortega
Maquetación: Veronika Plainer

© Ernesto Rodríguez y Difusión, Centro de Investigación
y Publicaciones de Idiomas, S.L., Barcelona, 2011

ISBN: 978-84-8443-742-0
Depósito legal: B 11647-2014
Impreso en España por Novoprint

Reimpresión: marzo 2019

C/ Trafalgar, 10, entlo. 1ª
08010 Barcelona
Tel. (+34) 93 268 03 00
Fax (+34) 93 310 33 40
editorial@difusion.com

www.difusion.com

FSC
www.fsc.org
MIXTO
Papel procedente de
fuentes responsables
FSC® C019520

GAEL
Y LA RED DE MENTIRAS

UNA NOVELA GRÁFICA
DE ERNESTO RODRÍGUEZ

Índice

Presentación

Gael y la red de mentiras es la historia de Gael, un ladrón de guante blanco, que debe robar un famoso cuadro de una de las galerías más importantes de España. Nuestro protagonista se ve envuelto en una trama en la que se mezclan el misterio, las mentiras, personajes buenos y malos, escenas de acción y divertidos diálogos.

Gracias a las imágenes y al uso de un lenguaje sencillo, podrás seguir esta emocionante historia hasta el final y disfrutar de la lectura en español. Porque si te diviertes, aprendes. Además, podrás acercarte a la lengua que se oye en la calle, llena de expresiones coloquiales e incluso algunas vulgares.

Para facilitar la lectura, se incluyen notas a pie de página, un glosario monolingüe y uno en tres idiomas (inglés, francés y alemán) al final del libro. Además, te proponemos una gran cantidad de actividades para guiar la lectura, ampliar tu vocabulario o profundizar en los aspectos culturales presentes en la obra.

Esperamos que disfrutes de *Gael y la red de mentiras* y te deseamos una interesante y divertida lectura.

Personajes

GAEL

ES UN EXPERTO LADRÓN DE GUANTE BLANCO[1]. AHORA DEBE HACER EL TRABAJO MÁS IMPORTANTE DE SU VIDA: ROBAR[2] UN CUADRO DE PICASSO DE LA GALERÍA DE LA BARONESA VON BUTERHOFF. PERO HAY ALGO RARO EN TODO ESTO: ALREDEDOR DEL CUADRO HAY UNA RED[3] DE MENTIRAS.[4] ¿CONSEGUIRÁ GAEL SU OBJETIVO?

MARTA

ES LA NOVIA DE GAEL, HIJA DEL SEÑOR LARRAZ Y UNA CHICA DE BUENA FAMILIA. NO CONOCE LA VERDAD SOBRE GAEL. PIENSA QUE EL HOMBRE QUE LE HA ROBADO EL CORAZÓN TIENE UN TRABAJO NORMAL. NO SABE QUE ES UN EXPERTO LADRÓN.

AGUSTÍN LARRAZ

EL PADRE DE MARTA ES EL HOMBRE MÁS PODEROSO DE LA CIUDAD Y EL ENEMIGO[5] NÚMERO UNO DE LA BARONESA VON BUTERHOFF. PERO EN ESTA HISTORIA NADA ES LO QUE PARECE.

LA BARONESA

LA BARONESA VON BUTERHOFF ES LA PROPIETARIA DE LA GALERÍA VON BUTERHOFF, LA GALERÍA PRIVADA MÁS IMPORTANTE DE LA CIUDAD. TODO EL MUNDO SABE QUE SU RELACIÓN CON AGUSTÍN LARRAZ ES MUY MALA, PERO TIENE OTROS SECRETOS QUE NADIE CONOCE. Y ¿QUÉ RELACIÓN TIENE EXACTAMENTE CON GAEL?

1. ladrón de guante blanco: persona que roba de forma elegante y hábil **2. robar:** coger algo de otra persona sin su autorización **3. red:** construcción de hilos que se usa para pescar **4. mentira:** algo que no es verdad **5. enemigo:** rival

MICLAUS

ES EL SOCIO[6] DE GAEL Y UNO DE SUS MEJORES
AMIGOS, JUNTO CON CLAUDIA. ANALIZA LOS
SISTEMAS DE SEGURIDAD DE LOS LUGARES
DONDE TIENE QUE ROBAR GAEL.

RIERA

ES EL HOMBRE QUE LES ENCARGA EL TRABAJO A
GAEL Y A MICLAUS. PARECE POCO FIABLE.[7] ¿A QUÉ
SE DEDICA? ¿QUIÉN LO ENVÍA? ¿POR QUÉ?

CLAUDIA

ES ALGO ASÍ COMO EL ÁNGEL DE LA GUARDA[8]
DE GAEL. SE CONOCIERON HACE UN AÑO EN
UNA SITUACIÓN BASTANTE EXTRAÑA Y DESDE
ENTONCES SON MUY BUENOS AMIGOS. CLAUDIA
AYUDA A GAEL EN SUS TRABAJOS.

PACO SACAMANTECAS

EL MONSTRUO FINAL, EL MÚSCULO, EL MIEDO.
EL GIGANTE AL QUE GAEL TIENE QUE VENCER
ALGÚN DÍA.

6. socio: persona que trabaja con otra para conseguir un objetivo común **7. fiable:** que se puede confiar en él o ella
8. ángel de la guarda: persona que protege a otra

9

9. **tonto:** poco inteligente 10. **partirle la cara a alguien:** pegarle a alguien con fuerza en la cara, dar una bofetada

11. ¡Maldita sea!: expresión de rabia o enfado

12. **cariño:** forma de llamar a alguien amado

13. **triunfador:** persona que tiene éxito 14. **contable:** persona que se encarga de las cuentas de una empresa

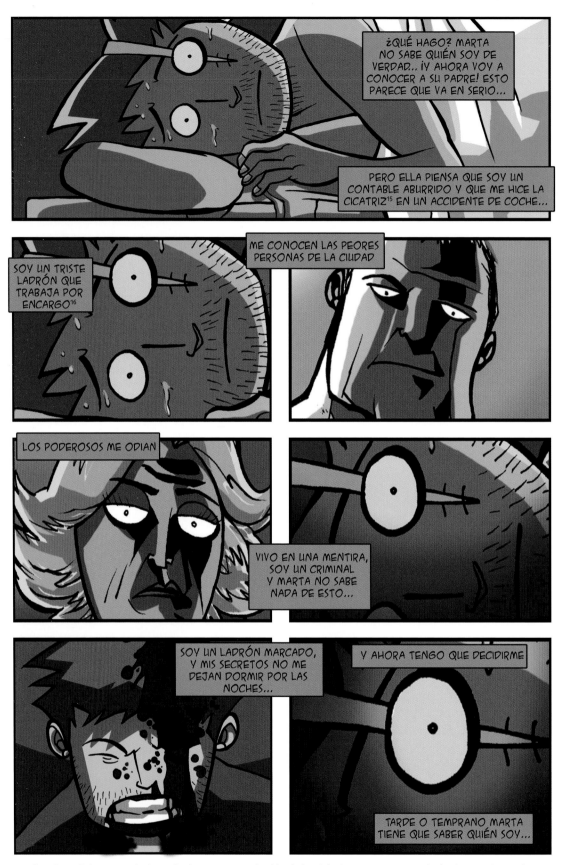

15. cicatriz: señal que queda después de curarse una herida de la piel **16. por encargo:** según las instrucciones de alguien

¿QUÉ ESTÁS LEYENDO?

Nueva batalla[17] entre Agustín Larraz y la baronesa Von Buterhoff

Agustín Larraz ha comunicado a los medios de comunicación que va a llevar a la baronesa a los tribunales.[18] Según el empresario, la Fundación Larraz para la Investigación Científica no ha dado dinero a ningún partido político, como aseguró la baronesa hace unos días en un programa de televisión. El enfrentamiento entre estas dos famosas personalidades continúa y es cada vez más agresivo.

Agustín Larraz hablando con los medi...

La baronesa, por su parte, no ha expresado su opinión sobre la reacción del empresario a su ataque hace unos días en la televisión. Según sus abogados, está "muy triste por esta situación tan desagradable" que ha provocado Agustín Larraz.

(más información en la página 4)

La Baronesa Von Buterhoff abandona los juzgados

---

17. batalla: guerra, lucha, enfrentamiento **18. tribunal:** juzgado, lugar donde se imparte justicia

19. **salir con alguien:** tener una relación sentimental con alguien

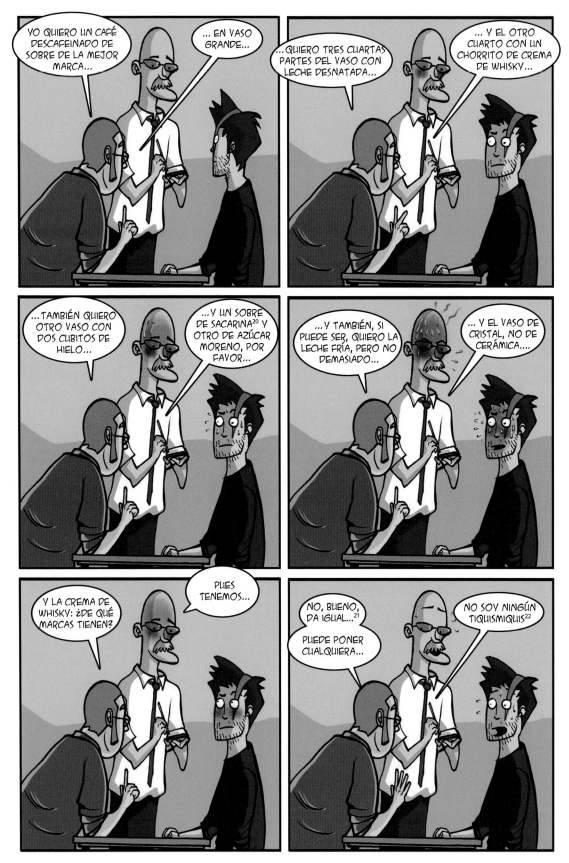

20. sacarina: sustituto del azúcar **21. dar igual:** no ser importante **22. tiquismiquis:** (coloquial) persona muy perfeccionista y obsesionada por los detalles

23. **dejar algo al azar:** dejar algo a la suerte, sin planificar 24. **clave:** el secreto, lo esencial

19

25. **retrato:** imagen de alguien 26. **por cierto:** a propósito

27. vigilar: tener cuidado, poner atención **28. ¡Ostras!:** expresión de sorpresa

29. torero: persona que lucha contra un toro en una plaza de toros

30. **(ponerse) manos a la obra:** empezar a trabajar 31. **hacer daño a alguien:** causarle a alguien dolor o sufrimiento

32. **¡No me jorobes!:** (coloquial) (aquí) expresión de asombro

33. **meterse uno donde no lo llaman:** entrometerse, ser indiscreto

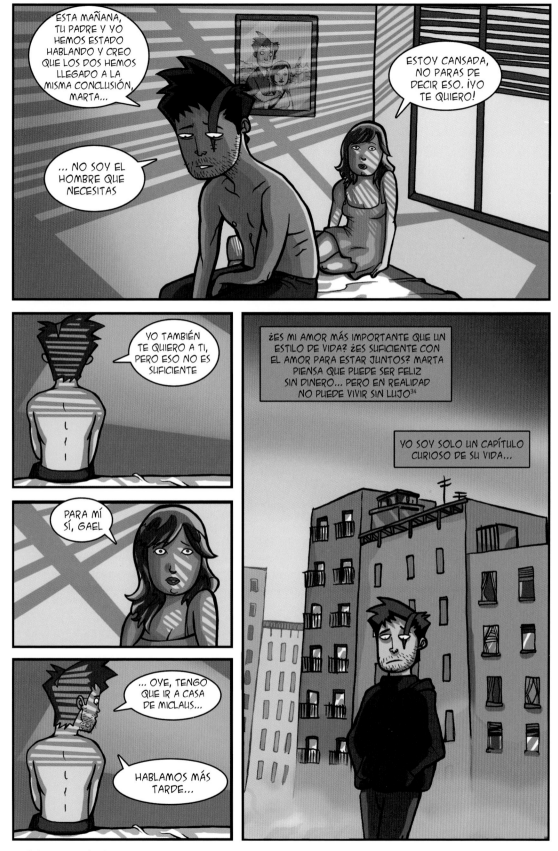

34. lujo: exceso de riqueza

35. **desgraciado:** (aquí) miserable, persona sin valor 36. **descampado:** terreno vacío 37. **polígono industrial:** zona de fábricas y almacenes 38. **pudrirse:** descomponerse una materia orgánica 39. **hijo de perra:** (vulgar) miserable

¿HOLA?

APARTAMENTO DE MICLAUS, HOY

¡HOLA! PASA, PASA

¿QUÉ TENEMOS?

EN EL ORDENADOR PUEDES VER TODA LA INFORMACIÓN QUE HE ENCONTRADO EN LA GALERÍA VON BUTERHOFF

HAY PLANOS, DATOS SOBRE LOS SISTEMAS DE SEGURIDAD... ¡DE TODO!

VAMOS A VER...

ALREDEDOR DE LA GALERÍA HAY UN MURO, PERO NO ES MUY ALTO. EL MEJOR LUGAR PARA
ENTRAR ESTÁ MARCADO CON EL NÚMERO ❶. AL LADO DEL MURO HAY UNA CAJA CON LOS
CONTROLES DE LA ALARMA (EL NÚMERO ❷). LA ALARMA SE DESCONECTA CON EL CÓDIGO
#6694467#, PERO SOLO DURA 5 MINUTOS. POR ESO TIENES QUE CORRER A LA ENTRADA
Y LLEGAR AL PUNTO ❸ EN ESE TIEMPO. AHÍ ESTÁ EL CONTROL DE ALARMAS INTERIORES.
PARA DESCONECTARLO, TIENES QUE PULSAR UN BOTÓN VERDE. ES UN SISTEMA SENCILLO,
PERO TENDRÁS SOLO 10 MINUTOS ANTES DE LA LLEGADA DE LA POLICÍA

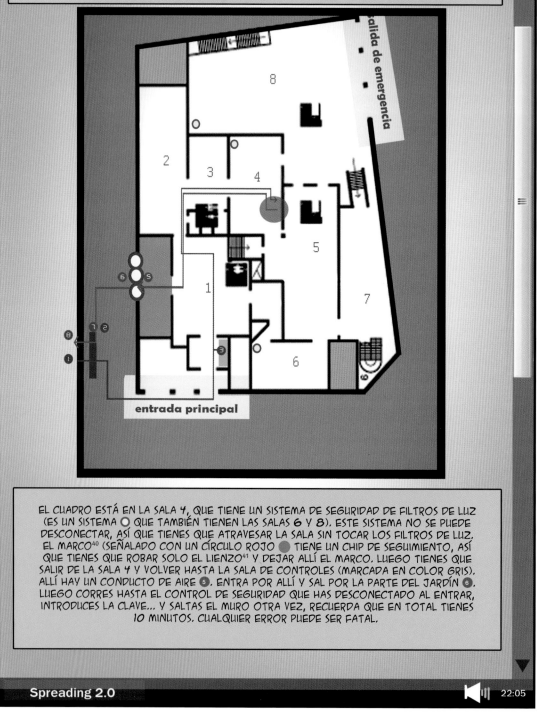

EL CUADRO ESTÁ EN LA SALA 4, QUE TIENE UN SISTEMA DE SEGURIDAD DE FILTROS DE LUZ
(ES UN SISTEMA ○ QUE TAMBIÉN TIENEN LAS SALAS 6 Y 8). ESTE SISTEMA NO SE PUEDE
DESCONECTAR, ASÍ QUE TIENES QUE ATRAVESAR LA SALA SIN TOCAR LOS FILTROS DE LUZ.
EL MARCO[40] (SEÑALADO CON UN CÍRCULO ROJO ●) TIENE UN CHIP DE SEGUIMIENTO, ASÍ
QUE TIENES QUE ROBAR SOLO EL LIENZO[41] Y DEJAR ALLÍ EL MARCO. LUEGO TIENES QUE
SALIR DE LA SALA 4 Y VOLVER HASTA LA SALA DE CONTROLES (MARCADA EN COLOR GRIS).
ALLÍ HAY UN CONDUCTO DE AIRE ❺. ENTRA POR ALLÍ Y SAL POR LA PARTE DEL JARDÍN ❻.
LUEGO CORRES HASTA EL CONTROL DE SEGURIDAD QUE HAS DESCONECTADO AL ENTRAR,
INTRODUCES LA CLAVE... Y SALTAS EL MURO OTRA VEZ, RECUERDA QUE EN TOTAL TIENES
10 MINUTOS. CUALQUIER ERROR PUEDE SER FATAL.

Spreading 2.0   22:05

40. marco: estructura de madera u otro material que rodea un cuadro **41. lienzo:** tela sobre la que está pintado
un cuadro

EL CHIP DE SEGUIMIENTO, EL LOCALIZADOR DEL CUADRO, ESTÁ EN EL MARCO, ARRIBA A LA DERECHA. ES EL PUNTO ROJO DE LA FOTO... ESE CHIP DETECTA MOVIMIENTOS DE CENTÍMETROS, ASÍ QUE TIENES QUE SACAR EL LIENZO DEL MARCO SIN MOVER EL CUADRO

¡MICLAUS! HAZ ZOOM SOBRE LA PLACA

¿SOBRE LA PLACA DEL CUADRO? OK...

22:05

Maya à la Poupée
Pablo Ruiz Picasso

Cuadro donado por la Fundación Larraz
Larraz

LA FUNDACIÓN LARRAZ...

¡ES LA FUNDACIÓN DEL PADRE DE MI NOVIA!

fundación larraz
Agustín Larraz
Presidente

ALGUIEN QUIERE ROBAR AL PADRE DE MARTA...

TENEMOS QUE SABER QUIÉN ES EL JEFE DE RIERA...

ESTO ES UN ASUNTO PERSONAL ¡¡ESTAMOS HABLANDO DE LA FAMILIA DE MARTA!!

TIENES RAZÓN, ESTA SITUACIÓN ES MUY EXTRAÑA

VOY A LLAMAR A CLAUDIA...

33

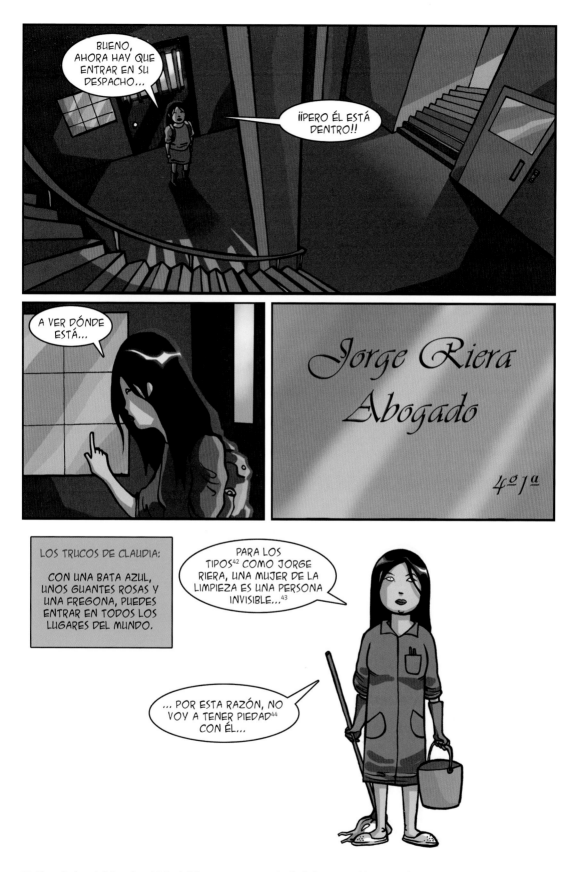

42. **tipo:** (coloquial) hombre 43. **invisible:** que no se ve 44. **piedad:** compasión, empatía

45. **Por mí, como si...:** me da igual 46. **jota:** tipo de música tradicional de algunas regiones de España, como Aragón
47. **tío:** (coloquial) hombre, chico

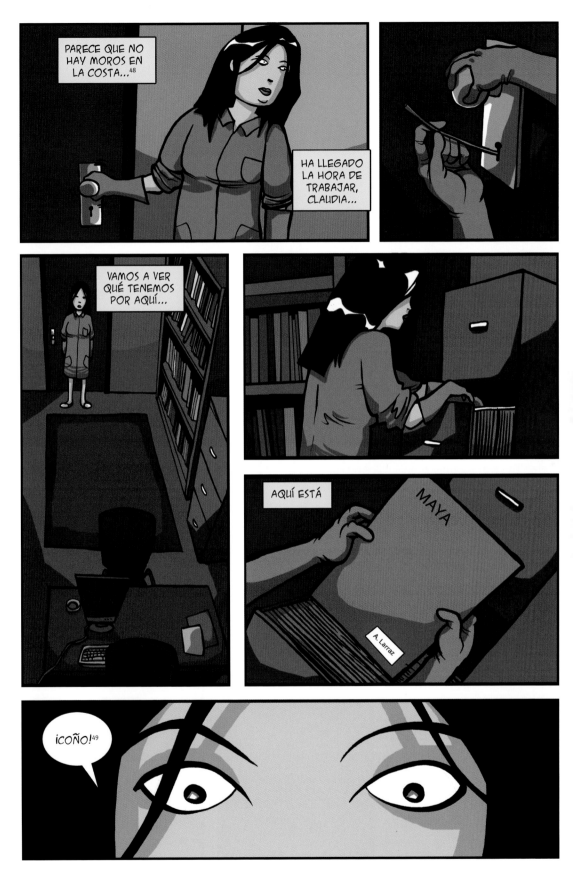

48. **No hay moros en la costa:** no hay nadie peligroso cerca 49. **¡Coño!:** (vulgar) (aquí) expresión de sorpresa

50. **oler a chamusquina:** ser sospechoso 51. **culpar:** acusar

41

52. trampa: truco que se utiliza para cazar un animal, engaño

53. **atrapar:** detener, agarrar

54. ¡Joder!: (vulgar) (aquí) expresión de enfado 55. ¡Me importa un carajo!: (vulgar) No me importa nada
56. ¡Hostia!: (vulgar) (aquí) expresión de asombro

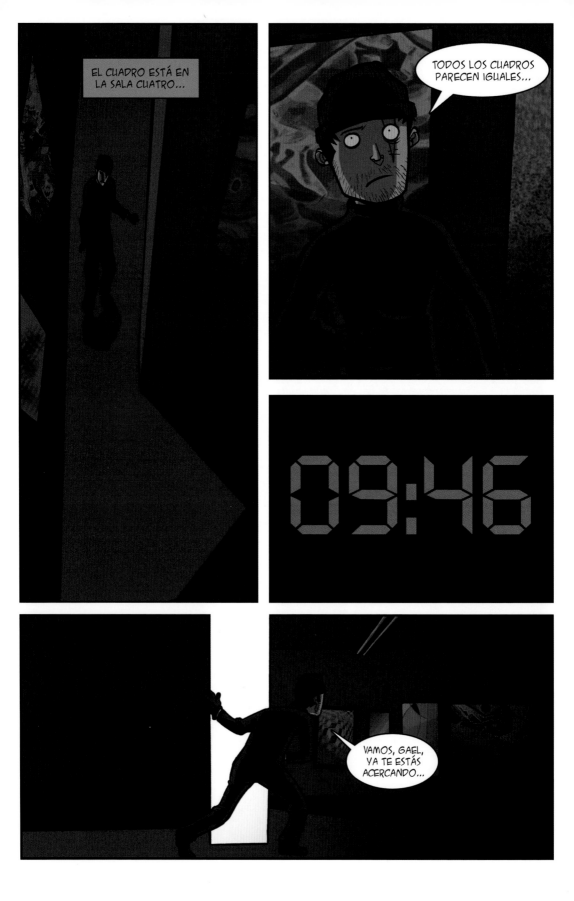

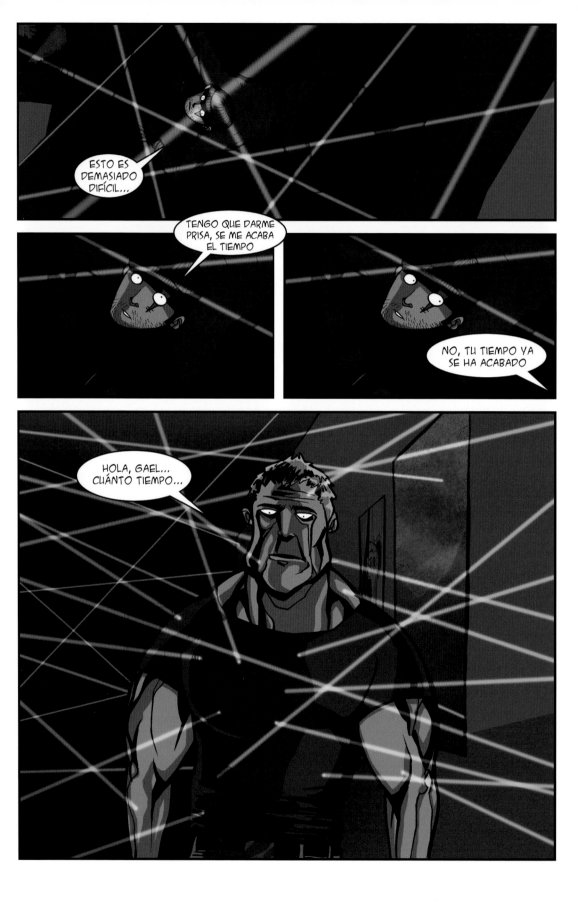

58. **pillar:** (coloquial) coger, detener

59. **merecer:** ser digno de un premio o castigo

60. **interrogar:** hacer muchas preguntas para conseguir una información determinada

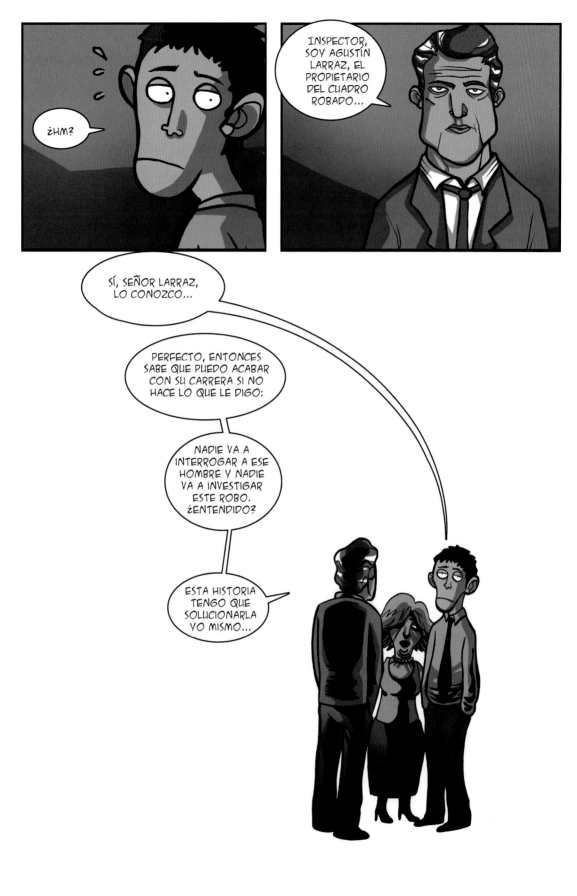

61. ser un Don Nadie: ser alguien sin importancia **62. tener clase:** ser elegante, tener buen estilo **63. dejar en paz:** dejar tranquilo, no molestar

64. **echar de menos:** sentir tristeza por la ausencia de algo o alguien

Glosario y actividades

Glosario en español

Página 6

enemigo: rival
ladrón de guante blanco: persona que roba de forma elegante y hábil
mentira: engaño, algo que no es verdad
red: construcción de hilos que se usa, por ejemplo, para pescar
robar: coger algo de otra persona sin su autorización

Página 7

ángel de la guarda: persona que protege a otra
fiable: que se puede confiar en él o ella
socio: persona que trabaja con otra para conseguir un objetivo común

Página 10

partirle la cara a alguien: pegarle a alguien con fuerza en la cara, dar una bofetada
tonto: poco inteligente

Página 11

¡Maldita sea!: expresión de rabia o enfado

Página 12

cariño: forma de llamar a alguien amado

Página 13

contable: persona que se encarga de las cuentas de una empresa
triunfador: persona que tiene éxito

Página 14

cicatriz: señal que queda después de curarse una herida de la piel
por encargo: según las instrucciones de alguien

Página 16

batalla: guerra, lucha, enfrentamiento
tribunal: juzgado, lugar donde se imparte justicia

Página 17

salir con alguien: tener una relación sentimental con alguien

Página 18

dar igual: no ser importante
sacarina: sustituto del azúcar
tiquismiquis: (coloquial) persona muy perfeccionista y obsesionada por los detalles

Página 19

clave: el secreto, lo esencial
dejar algo al azar: dejar algo a la suerte, sin planificar

Página 21

por cierto: a propósito
retrato: imagen de alguien

Página 23

¡Ostras!: expresión de sorpresa
vigilar: tener cuidado, poner atención

Página 24

torero: persona que lucha contra un toro en una plaza de toros

Página 25

(ponerse) manos a la obra: empezar a trabajar
hacer daño a alguien: causarle a alguien dolor o sufrimiento

Página 27

¡No me jorobes!: (coloquial) (aquí) expresión de asombro

Página 28

meterse uno donde no lo llaman: entrometerse, ser indiscreto

Página 29

lujo: exceso de riqueza

Página 30

descampado: terreno vacío al aire libre
desgraciado: (aquí) miserable, persona sin valor
hijo de perra: (vulgar) miserable
polígono industrial: zona situada en las afueras de un núcleo urbano donde hay fábricas y almacenes industriales
pudrirse: descomponerse una materia orgánica

Página 32

lienzo: tela sobre la que está pintado un cuadro
marco: estructura de madera u otro material que rodea un cuadro

Página 37

invisible: que no se ve
piedad: compasión, empatía
tipo: (coloquial) hombre

Página 38

jota: tipo de música tradicional de algunas regiones de España, como Aragón
Por mí, como si...: me da igual
tío: (coloquial) hombre, chico

Página 39

¡Coño!: (vulgar) (aquí) expresión de sorpresa
No hay moros en la costa: no hay nadie peligroso cerca

Página 40

culpar: acusar
oler a chamusquina: ser sospechoso

Página 42

trampa: truco que se utiliza para cazar un animal, engaño

Página 44

atrapar: detener, agarrar

Página 46

¡Joder!: (vulgar) (aquí) expresión de enfado
¡Me importa un carajo!: (vulgar) No me importa nada
¡Hostia!: (vulgar) (aquí) expresión de asombro

Página 52

atravesar: cruzar

Página 55

pillar: (coloquial) coger, detener

Página 56

merecer: ser digno de un premio o castigo

Página 60

interrogar: hacer muchas preguntas para conseguir una información determinada

Página 62

dejar en paz: dejar tranquilo, no molestar
ser un Don Nadie: ser alguien sin importancia
tener clase: ser elegante, tener buen estilo

Página 63

echar de menos: sentir tristeza por la ausencia de algo o alguien

Glosario en inglés, francés y alemán

Glosario español-portugués disponible gratis en **www.difusion.com/gael-red-br**

	INGLÉS	FRANCÉS	ALEMÁN
Página 6			
enemigo	rival	ennemi	Feind
ladrón de guante blanco	white-collar criminal	gentleman cambrioleur	Gentlemandieb
mentira	lie	mensonge	Lüge
red	web	tissu	Netz
robar	to steal	voler	stehlen
Página 7			
ángel de la guarda	guardian angel	ange gardien	Schutzengel
fiable	trustworthy	fiable	vertrauenswürdig
socio	(business) partner	associé	Kumpan
Página 10			
partirle la cara a alguien	to smash someone's face in	casser la figure à quelqu'un	jemandem die Fresse einschlagen
tonto	stupid	bête	dumm
Página 11			
¡Maldita sea!	Damn!	Merde!	Verflucht!
Página 12			
cariño	darling / honey	chéri	Liebling
Página 13			
contable	accountant	comptable	Buchhalter
triunfador	winner	gagneur	Erfolgsmensch
Página 14			
cicatriz	scar	cicatrice	Narbe
por encargo	hired / for hire	sur commande	auf Bestellung
Página 16			
batalla	battle	bataille	Streit
tribunal	court	tribunal	Gericht

	INGLÉS	FRANCÉS	ALEMÁN
Página 17			
salir con alguien	to go out with someone	sortir avec quelqu'un	zusammen sein mit
Página 18			
dar igual	never mind	être égal	egal sein
sacarina	saccharine	saccharine	Süßstoff
tiquismiquis	overly fussy	pinalleur	Pedant
Página 19			
clave	key	clef / clé	Schlüssel
dejar algo al azar	leave something to chance	laisser quelque chose au hasard	etwas dem Zufall überlassen
Página 21			
por cierto	by the way	d'ailleurs	übrigens
retrato	portrait	portrait	Porträt
Página 23			
¡Ostras!	Hell!	Ça alors!	Donnerwetter!
vigilar	be careful	faire attention	aufpassen auf
Página 24			
torero	bullfighter	torero	Stierkämpfer
Página 25			
(ponerse) manos a la obra	let's get moving	se mettre (à faire quelque chose)	Hand ans Werk!
hacer daño a alguien	to hurt someone	blesser quelqu'un	jemandem weh tun
Página 27			
¡No me jorobes!	No way! You're joking!	C'est pas vrai! / Tu plaisantes?	Sag bloß!
Página 28			
meterse uno donde no lo llaman	to interfere / stick my nose in	se mêler des affaires des autres	seine Nase in fremde Anglegenheiten stecken

	INGLÉS	FRANCÉS	ALEMÁN

Página 29

lujo	luxury	luxe	Luxus

Página 30

descampado	wasteland	terrain vague	freies Feld
desgraciado	loser	pauvre type	armselig
hijo de perra	scumbag / asshole	fils de pute	Hurensohn
polígono industrial	industrial estate	zone industrielle	Industriegebiet
pudrirse	to rot	aller se faire foutre	verrotten

Página 32

lienzo	canvas / painting	toile	Leinwand
marco	frame	cadre	Rahmen

Página 37

invisible	invisible	invisible	unsichtbar
piedad	pity	pitié	Erbarmen
tipo	guy	type	Typ

Página 38

jota	type of folksong	chanson populaire d'Aragon	spanischer Volkstanz
Por mí, como si...	For all I care,	fais ce que tu veux	meinetwegen kannst du...
tío	guy	mec	Mann

Página 39

¡Coño!	Fuck!	Putain!	Scheiße!
No hay moros en la costa	The coast is clear	la voie est libre	die Luft ist rein

Página 40

culpar	to blame	accuser	beschuldigen, anzeigen
oler a chamusquina	I smell a rat	sentir le roussi	sehr verdächtig sein

	INGLÉS	FRANCÉS	ALEMÁN

Página 42

trampa	trap	piège	Falle

Página 44

atrapar	to catch / snare	prendre (quelqu'un)	erwischen

Página 46

¡Joder!	Bloody hell! Bugger!	Putain!	Verdammt nochmal!
¡Me importa un carajo!	I don't give a shit	Je m'en fiche	Das ist mir scheißegal!
¡Hostia!	Damn it!	Bordel!	Das darf doch wohl nicht wahr sein!

Página 52

atravesar	to cross	traverser	durchqueren

Página 55

pillar	to nab / catch	attraper	schnappen

Página 56

merecer	to deserve	mériter	verdienen

Página 60

interrogar	to interrogate	interroger	verhören

Página 62

dejar en paz	to leave someone alone	laisser tranquille	in Ruhe lassen
ser un Don Nadie	to be a nobody	être une personne sans importance	eine Null sein
tener clase	to have class	avoir de la classe	Stil haben

Página 63

echar de menos	to miss (someone)	manquer (à quelqu'un)	vermissen

Actividades

Antes de leer

1. ¿Te gusta leer cómics? ¿Por qué? ¿Qué cómics conoces? ¿Conoces alguno en español?

2. Mira las imágenes de los protagonistas de la historia, pero no leas todavía su descripción. ¿Quién crees que es cada uno? ¿Qué relación puede haber entre ellos? Escríbelo. Después lee la descripción y comprueba tus hipótesis.

3. ¿Cómo crees que es cada uno? Describe su carácter.

4. Escoge a uno de ellos y descríbelo físicamente.

5. Fíjate en la cicatriz, es decir, la marca que tiene Gael en la cara sobre el ojo izquierdo. Imagina cómo se la hizo y cuándo.

6. Gael tiene que robar un cuadro de Picasso. ¿Qué sabes de este pintor?

Durante la lectura

7. El cómic se llama Gael y la red de mentiras. ¿Qué mentiras hay alrededor de Gael? ¿Quién miente a quién? ¿Sobre qué?

8. Vuelve a leer la noticia del periódico sobre los problemas entre Larraz y la baronesa von Buterhoff. ¿Puedes explicar con tus propias palabras qué problema existe entre ellos? ¿Cómo cambia la relación al final de la historia?

9. ¿Crees que Marta sabe la verdad sobre Gael? ¿Por qué?

10. Ahora que ya conoces a todos los personajes, escribe tu opinión sobre ellos. Lee lo que escribiste en la actividad 3. ¿Ha cambiado algo? ¿Quién te cae mejor? ¿Quién te cae peor? ¿Por qué?

Después de leer

11. ¿Qué te parece la decisión de Gael?

12. La historia tiene un final abierto. ¿Qué crees que hará Gael después? ¿Y Agustín Larraz?

13. Escribe un final nuevo para la historia.

Léxico

14. ¿Qué ropa llevan estos personajes? Haz una lista para cada uno.
¿Con qué tipo de ropa te sientes tú más cómodo?

15. ¿Cuáles de los siguientes adjetivos definen mejor a cada personaje?
Si quieres, puedes añadir otros.

> poderoso/a
>
> extravagante   mentiroso/a
>
> hipócrita   inocente   romántico
>
> indeciso/a   rebelde   obediente
>
> manipulador/a   sádico/a   valiente
>
> agresivo/a   inteligente   honesto/a
>
> meticuloso/a

Gael ....

Agustín Larraz ....

Marta Larraz ....

Miclaus ....

Jorge Riera ....

Claudia ....

Baronesa von Buterhoff ....

Paco Sacamantecas ....

16. Y tú, ¿cómo eres? Escribe un breve texto.

17. ¿En qué lugares se desarrolla la historia? ¿Cómo te imaginas que es cada uno? Contesta como en el ejemplo:

> *El piso de Miclaus: es pequeño y desordenado, pero está lleno de cosas interesantes y curiosas. La cocina está siempre desordenada…*

18. Completa este mapa mental sobre Gael.

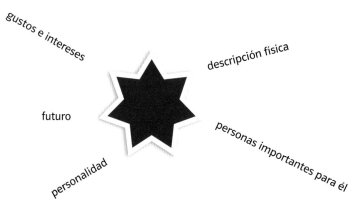

gustos e intereses

descripción física

futuro

personas importantes para él

personalidad

19. ¿Recuerdas qué expresiones se utilizan en el cómic para referirse a estas cosas o personas? Intenta contestar de memoria. Si no puedes, busca en las páginas indicadas. Luego escoge cinco expresiones que quieres aprender y escribe una frase sobre ti con cada una.

a. Un ladrón muy hábil y elegante (pág. 6): ....

b. Una chica de clase media-alta (pág. 6): ....

c. Una persona que protege a otra (pág. 7): ....

d. Darle una bofetada a alguien (pág. 10): ....

e. Esto es una relación seria (pág. 14): ....

f. No soy perfeccionista (pág. 18): ....

g. ¡Caramba! (pág. 23): ....

h. Empezar a trabajar (pág. 47): ....

i. Esto es sospechoso (pág. 40): ....

j. Soy alguien sin importancia (pág. 62): ....

20. Imagina una nueva situación para estas viñetas y escribe los diálogos.

Cultura

21. Si quieres saber más sobre el cuadro *Maya à la poupée*, lee este texto. ¿Conoces otros retratos famosos? ¿Y otros cuadros que han sido robados?

Maya à la poupée es un retrato que Pablo Picasso pintó de su hija Maya. Picasso hacía muchos retratos de la misma persona, todos muy similares entre sí, como diferentes versiones de un mismo cuadro. Una de esas versiones la robaron el 7 de agosto del 2007 de la casa de Diana Widmaier, nieta de Picasso e hija de Maya.

Maya nació en 1934. Era hija de Picasso y Marie-Thérèse Walter, una joven aspirante a artista con la que el pintor español empezó una relación en el año 1927. Esa relación fue un secreto durante algunos años porque Picasso estaba casado con la bailarina rusa Olga Khokhlova desde 1918. Pero cuando Maya nació la relación dejó de ser secreta.

En el año 2007 hubo un nuevo intento de robar el cuadro Maya à la poupée. El retrato estaba en la casa de la nieta de Picasso, junto a un retrato de Jaqueline, la segunda esposa del pintor. El retrato de Maya desapareció con el marco, pero del retrato de Jaqueline solo se llevaron el lienzo. La policía francesa recuperó las dos pinturas poco tiempo después.

Picasso es el pintor que más dinero ha ganado en la historia con sus pinturas. Por eso, sus cuadros son un objetivo habitual para los ladrones de arte.

22. ¿Conoces otros nombres importantes en la historia del arte español (pintura, literatura, música, arquitectura, etc.)? Haz una lista de los nombres que conoces y añade algunas de sus obras. ¿Sabes algo de su vida?

23. La historia de Gael sucede en Madrid. ¿Qué sabes de esta ciudad? Haz un mapa conceptual con las cosas que conoces. Puedes buscar información en el cómic y en otros lugares.

monumentos   cosas típicas

Madrid

museos   lugares

24. Fíjate en la escena en la que Miclaus pide un café y haz una lista de todas las condiciones que debe cumplir el café para él. A ti, ¿cómo te gusta el café, el té o tu bebida preferida? ¿Te parecen importantes todos estos detalles? La escena es una exageración de la famosa "cultura del café" española. En tu país, ¿existe una "cultura de café" o algo similar?

Internet

25. Busca en internet lugares que aparecen en el cómic y marca en un mapa todas las zonas en las que se desarrolla la acción.

26. Madrid es una ciudad con importantes museos y galerías de arte. Busca en internet información sobre ellos. Escoge uno y fíjate en una obra importante que se encuentra allí. Descríbela. ¿Por qué te gusta?

Este libro se terminó
de imprimir en la
primavera de 2011 en la
ciudad de Barcelona.